捣蛋猫爱编程

什么是漏洞

〔美〕布赖恩·P. 克利里◎著 〔加〕马丁·戈诺◎绘 何 晶◎译

北京科学技术出版社

所有的电子设备都需要指令，这些指令也叫程序。

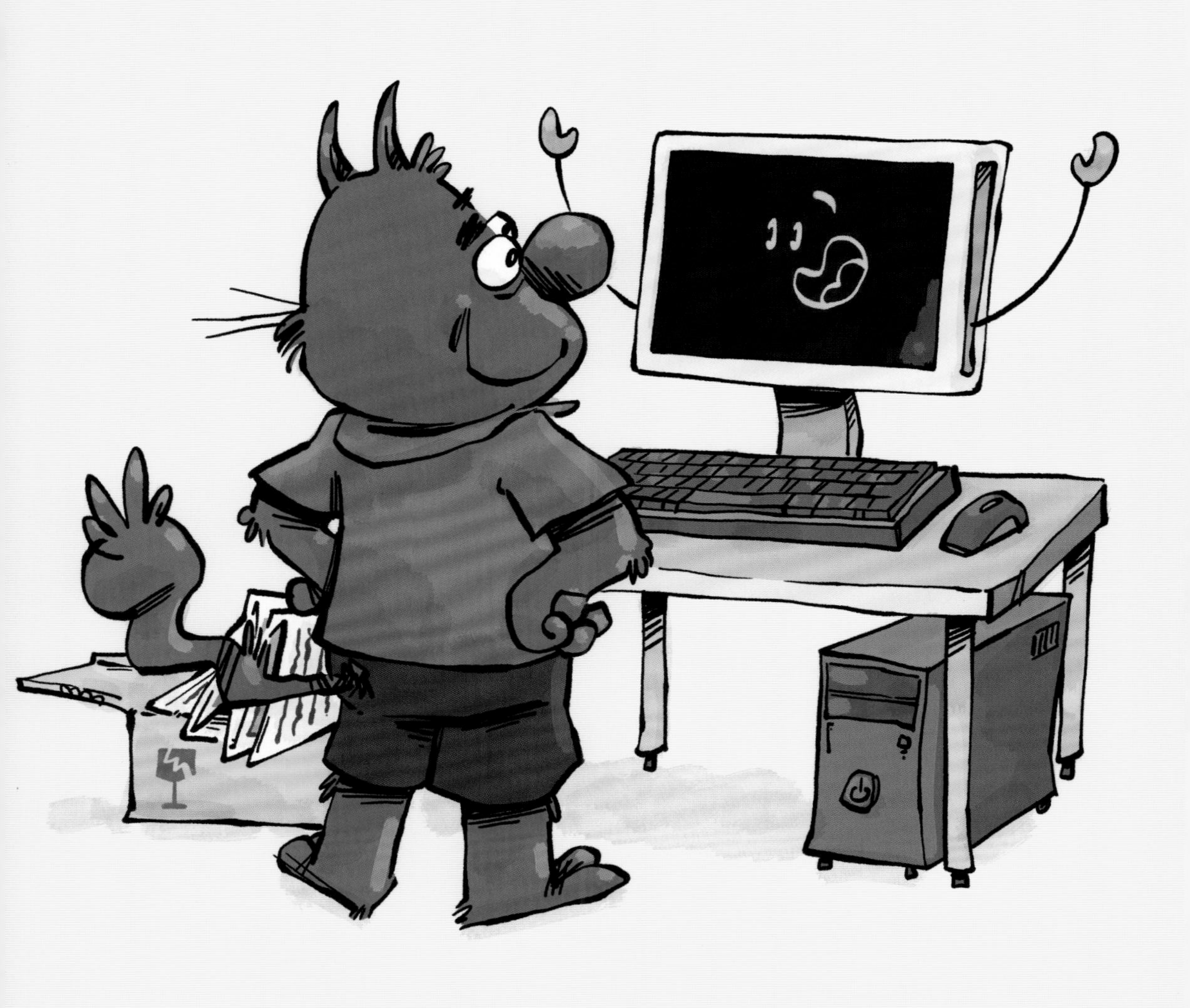

指令告诉你的计算机、

网页、游戏

或者应用程序要做什么。

程序中的**漏洞**也叫“臭虫”，指程序中的错误，

它们可能导致很多故障：

死机、程序停止运行等。

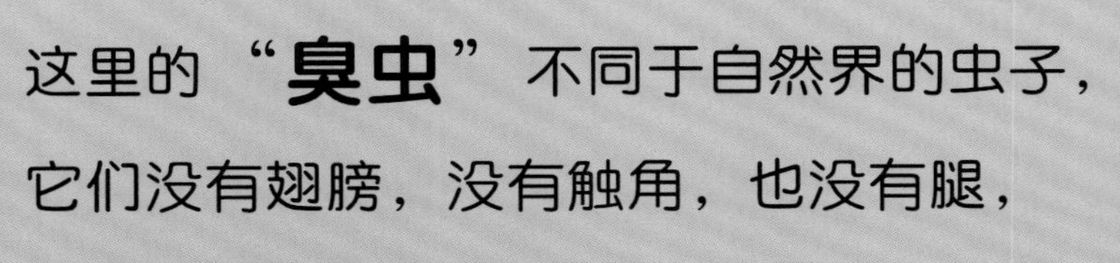

这里的“**臭虫**”不同于自然界的虫子，
它们没有翅膀，没有触角，也没有腿，
也不会居住在巢穴里面。

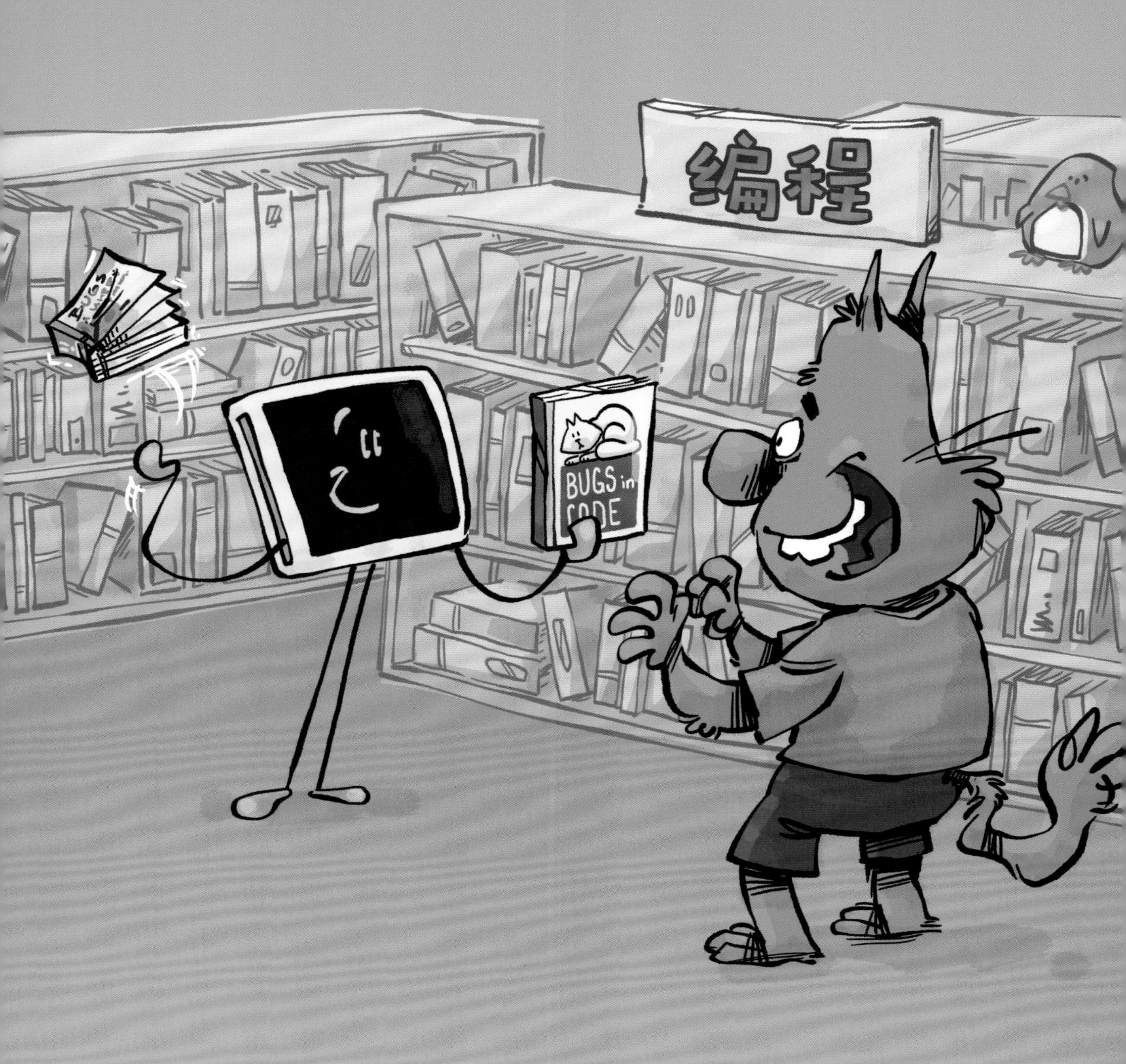

程序中的漏洞源于

语法错误、语言错误或拼写错误。

假设你编写了一段程序，

指示机器人给小汽车打蜡。

正确的指令应该是这样的：

“找到车”（locate the car），

然后“洗车”（wash it），

最后“给车打蜡”（wax it）。

然而，如果你不小心在本该输入“car”（汽车）的地方输入了“cat”（捣蛋猫），

那么最后你看到的将不是一辆刚刚打过蜡的汽车，

而是一只非常生气的捣蛋猫。

语法（单词的顺序以及它们在代码中的排列方式）错误

会导致漏洞的出现，

比如网站崩溃、

图片或者网页

加载失败等。

想想你洗头发的过程，

顺序非常关键。

如果你先冲洗头发，接着擦干头发，

然后用洗发液清洗，

那你将闹一个大笑话。

你写的程序里会有**漏洞**吗？

一定会有，但不要紧张！

漏洞有助于你了解哪些地方出现了问题，

这是通往成功的必经之路。

程序员用**调试器**

逐行检测程序中的代码。

调试器追踪到**漏洞**以后，

会通知程序员修复程序，

让程序运行得更好。

如果你在程序中发现了**漏洞**，

完全没必要惊慌。

和写文章、演奏乐曲或做数学题一样，

出了错纠正了即可。

你知道了吗？

漏洞指程序中的错误。它们可能导致程序停止运行、死机等问题。程序员必须学会调试程序——找到程序中的错误并修复。

程序中常见的问题包括：

- 拼写错误
- 指令的顺序错误
- 计算错误
- 指令冗余
- 数字错误
- 死循环

漏洞很常见，你可以用调试器来调试你的程序。像 Scratch 和 Alice 这样用模块编程的语言不太容易出现漏洞，因为你可以拖拽代码块来写程序，对新手来说这很有用。当你会编写简单的程序后，就可以试着写一些更长、更复杂的程序了。

编程很有趣。最重要的是，任何人都可以编程。你只需有一台计算机或平板电脑，能连上网，并愿意尝试即可。

想学习更多编程知识？

看看下面的资源

书籍

Loya, Allyssa. *Bugs and Errors with* Wreck-It Ralph. Minneapolis: Lerner Publications, 2019.

人们编写程序告诉计算机该做什么，但有时程序中会有漏洞。跟《无敌破坏王》中的人物一起通过编程实践活动来学习什么是程序中的漏洞。

Lyons, Heather. *Coding, Bugs, and Fixes*. Minneapolis: Lerner Publications, 2017.

本书向小读者们介绍了编程中涉及的基本概念：算法、循环语句、漏洞以及漏洞修复。小读者们还可以通过线上线下的活动动手实践。

Prottsman, Kiki. *My First Coding Book*. New York: DK, 2017.

通过翻翻书的方式来创建程序，让你逃离丛林、制造机器人，做很多有趣的事情。

网站和应用程序

Code.org

https://code.org

该网站为编程初学者提供了大量资源，包括供学生和老师使用的资源。你可以在“项目”页签查看其他孩子已完成的项目，并查看这些项目的代码。

Daisy the Dinosaur （恐龙黛西）

一个免费的 iPad 应用程序，孩子们可以通过拖拽代码块编程来让恐龙黛西跳舞。

作者和绘者介绍

布赖恩·P. 克利里是“捣蛋猫”系列绘本、“自然拼读”系列绘本、“诗歌冒险”系列绘本等畅销童书的作者。克利里还著有《哐当哐当》《哼哼唧唧》《拟声词的故事》《太阳在玩捉迷藏——拟人的故事》等。现居美国俄亥俄州克利夫兰市。

马丁·戈诺是一名资深绘本插画师，为很多绘本创作过插画，“捣蛋猫”系列绘本中很多插图都出自马丁之手。业余时间，马丁是电子游戏和编程爱好者。马丁现在和他的妻子以及两个可爱的儿子居住在加拿大魁北克省三河市。

感谢技术专家迈克尔·米勒对本书的文字和画面进行审校。

著作权合同登记号　图字：01-2019-2058

图书在版编目(CIP)数据

什么是漏洞 / (美) 布赖恩·P. 克利里著 ; (加) 马丁·戈诺绘 ; 何晶译. —北京 : 北京科学技术出版社，2020.5
（捣蛋猫爱编程）
书名原文：Bugs That Make Your Computer Crawl
ISBN 978-7-5304-9174-4

Ⅰ. ①什… Ⅱ. ①布… ②马… ③何… Ⅲ. ①程序设计－少儿读物 Ⅳ. ①TP311.1-49

中国版本图书馆CIP数据核字(2020)第048837号

什么是漏洞（捣蛋猫爱编程）

作　　者：〔美〕布赖恩·P. 克利里	绘　　者：〔加〕马丁·戈诺
译　　者：何　晶	策划编辑：石　婧
责任编辑：樊川燕	责任印制：张　良
出 版 人：曾庆宇	出版发行：北京科学技术出版社
社　　址：北京西直门南大街16号	邮政编码：100035
电话传真：0086-10-66135495（总编室） 0086-10-66161952（发行部传真）	0086-10-66113227（发行部）
电子信箱：bjkj@bjkjpress.com	网　　址：www.bkydw.cn
经　　销：新华书店	印　　刷：北京宝隆世纪印刷有限公司
开　　本：710mm × 1000mm　1/16	印　　张：1.5
版　　次：2020年5月第1版	印　　次：2020年5月第1次印刷

ISBN 978-7-5304-9174-4 / T · 1047

定价：20.00元